**JE DÉCOUVRE . . .**
**LE MONDE MERVEILLEUX DES ANIMAUX**

# LE MOUFLON D'AMÉRIQUE

**Bill Ivy**

Ouvrage pour la jeunesse recommandé par le
Cercle des Jeunes Naturalistes du Québec.

**Données de catalogage avant publication (Canada)**

Lottridge, Celia.
Le chien de prairie / Celia Lottridge, Susan Horner. Le mouflon d'Amérique / Bill Ivy.—

(Je découvre—le monde merveilleux des animaux)
Traduction de: Prairie dogs. Bighorn sheep. Comprend des index.
ISBN 0-7172-1973-9 (chien de prairie). — ISBN 0-7172-1974-7 (mouflon d'Amérique).

1. Chiens de prairie—Ouvrages pour la jeunesse. 2. Mouflon d'Amérique—Ouvrages pour la jeunesse. I. Horner, Susan. II. Ivy, Bill, 1953- Le mouflon d'Amérique. III. Titre. IV. Titre: Le mouflon d'Amérique. V. Collection.

QL737.R68L6814 1986 j599.32'32 C85-099938-3



Dépôt légal, 1er trimestre 1986
Bibliothèque nationale du Québec

## Savez-vous . . .

Imaginez un peu que vous vouliez grimper tout en haut d'un sommet des montagnes Rocheuses. Il vous faudrait des cordes, des pics, des chaussures de montagne... et des jours et des jours de marche.

L'escalade est dure pour nous, mais pas pour le mouflon d'Amérique. Athlétique, il parcourt agilement des pentes de montagne qui auraient vite raison de nos deux jambes. Rien d'étonnant alors qu'on appelle le mouflon « Le Roi de la montagne ».

Vous croyez peut-être que, parce qu'il ressemble un peu au mouton, le mouflon d'Amérique est lui aussi un animal mièvre et timide, qui mène une vie ennuyante et sans aventures. Eh bien, ce livre vous réserve de nombreuses surprises.

*Le mouflon d'Amérique aime les versants abrupts et rocailleux.*

## Les joies du jeu

Les jeunes mouflons d'Amérique aiment s'amuser presque autant que vous—et souvent, ils ont les mêmes jeux.

L'un de leurs jeux favoris est « Suivons le guide ». Les petits mouflons se courent les uns après les autres, sans paraître remarquer qu'ils jouent sur le versant escarpé d'une montagne!

Un autre jeu fort populaire est « Le roi du château ». Un petit mouflon grimpe au sommet d'un amas rocheux et tente d'empêcher les autres de l'en déloger. Celui qui réussit à le chasser de là devient le nouveau roi. Ce jeu est très amusant, mais il a aussi un aspect pratique: en jouant ainsi, les jeunes apprennent l'art de l'escalade, ce qui leur servira beaucoup par la suite.

*« Je suis le roi du château! »*

## Au pays des mouflons d'Amérique

Les mouflons d'Amérique vivent dans les régions montagneuses de l'ouest de l'Amérique du Nord. Bien que leur habitat s'étende jusqu'au Mexique, la plupart habitent dans les montagnes Rocheuses, en Alberta et en Colombie britannique. Le mouflon d'Amérique préfère les étendues sauvages et désertes, éloignées de toute civilisation. Il passe l'été tout en haut de la montagne, puis il descend dans la vallée quand tombent les premières neiges.

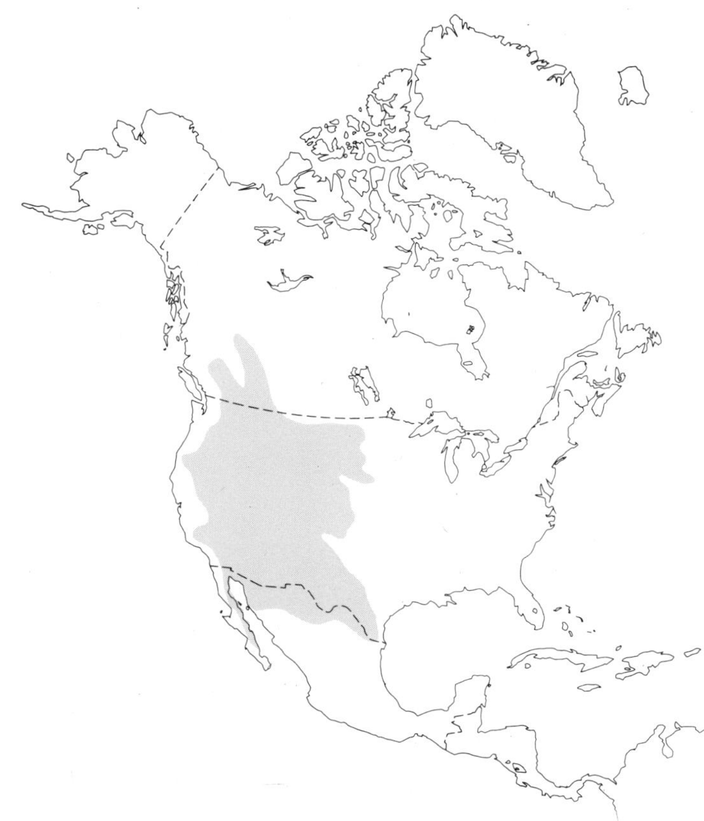

*Régions où vivent les mouflons d'Amérique.*

## Mouflons et moutons

Le mouflon d'Amérique est proche parent du mouton domestique et il a pour cousins plusieurs moutons sauvages, dont certains vivent en Asie et dans le nord de la Russie et d'autres, en Amérique du Nord. Le cousin sauvage le plus proche du mouflon d'Amérique est le mouflon de Dall, que l'on rencontre dans le Yukon et en Alaska.

*Le mouflon de Dall, de couleur blanche ou grise, vit plus au nord que le mouflon d'Amérique.*

## Gros plan sur le mouflon d'Amérique

À première vue, il est difficile de croire que le mouflon d'Amérique est réellement un mouton. Sa belle toison brune et blanche ne semble même pas faite de laine. Pourtant, la laine est là, dissimulée sous de longs poils protecteurs. La laine garde la chaleur du corps du mouflon, tandis que les poils protecteurs font glisser l'eau et la neige. Le ventre, la croupe et le bout du museau du mouflon sont blanc crème; sa courte queue est noire.

Un mâle adulte, ou bélier, peut mesurer jusqu'à un mètre au garrot et peser jusqu'à 155 kilogrammes. Il est donc presque une fois et demi plus gros que le mouton domestique. Les femelles, ou brebis, sont beaucoup plus petites.

*Remarquez comme les cornes des brebis sont plus minces et plus petites que celles du bélier.*

## Des sens super-développés

Les béliers et les brebis ont une vue excellente. Leurs grands yeux couleur ambre peuvent discerner quelque chose se trouvant à 8 kilomètres. Pour voir aussi loin, il vous faut une paire de jumelles. Ajoutez à cela que l'odorat et l'ouïe du mouflon d'Amérique sont presque aussi développés que sa vue, et vous comprendrez pourquoi il est pratiquement impossible de s'approcher de cet animal à la dérobée.

*Sa vue perçante: voilà le meilleur atout du mouflon d'Amérique contre les ennemis et les intrus qui voudraient s'approcher de lui.*

## Attention, danger!

Pendant toute la partie de l'année où ils sont sur les hauteurs des montagnes, les mouflons adultes ont peu d'ennemis: seul le couguar chasse sur ce territoire. Cependant, les agneaux doivent prendre garde aux aigles dorés. Ces rapaces sont assez puissants pour fondre sur un agneau et l'enlever dans les airs.

En hiver, quand les mouflons sont dans les vallées, même les adultes doivent prendre garde. Ils doivent veiller aux attaques des loups, des ours, des coyotes, des lynx roux et des lynx du Canada.

Il n'est toutefois pas facile d'attraper un mouflon d'Amérique! Ses sens très développés l'avertissent bien à l'avance du danger. De plus, très peu de prédateurs ont la patte suffisamment agile pour le poursuivre le long des étroits sentiers de montagne. Cependant, si le mouflon d'Amérique ne réussit pas à distancer son ennemi, il arrive qu'il se retourne et charge. La plupart des prédateurs préfèrent fuir.

Page ci-contre:
*Le plus sûr pour ces agneaux est de rester auprès de leur mère.*

## Des amateurs de verdure

Comme nous, les mouflons d'Amérique font trois repas principaux par jour: le matin, à midi et en fin d'après-midi. Le mouflon d'Amérique prend son petit déjeuner aux premières lueurs du jour. Son régime alimentaire est simple et presque toujours le même: de l'herbe, encore de l'herbe, toujours de l'herbe! Il aime aussi beaucoup le pâturin, le chiendent et la fétuque. Pour varier un peu le menu, il broute d'autres pousses: des lupins, des prêles, de l'aubépine, de la vesce, de l'amèlanchier et des feuilles de saule, entre autres.

En hiver, quand la verdure se fait rare, le mouflon d'Amérique mange des brindilles, moins nutritives, ou même des branches de sapin. De son sabot, il fouille la neige pour trouver des brins d'herbe.

*Dans l'herbe jusqu'au cou. Qu'est-ce qu'un mouflon d'Amérique pourrait demander de plus?*

## Un repas qui dure

Le mouflon d'Amérique ne mastique pas soigneusement sa nourriture avant de l'avaler. Lorsqu'il paît, il l'avale pratiquement tout rond. L'herbe descend alors dans une poche spéciale de l'estomac, où elle est entreposée. Une fois au repos, le mouflon fait remonter cette herbe, appelée bol alimentaire, dans sa gueule pour la mâcher. On dit que le mouflon rumine. Vous avez probablement déjà vu des vaches faire de même.

Quand le mouflon d'Amérique a fini de ruminer et qu'il a avalé de nouveau l'herbe, le reste de son estomac finit la digestion. Le mouflon sait vraiment faire durer un repas!

*Les herbes et les carex constituent 60 pour cent du régime alimentaire du mouflon d'Amérique.*

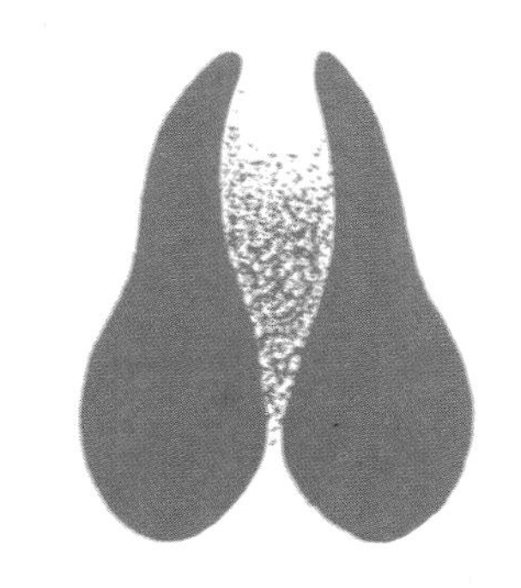

*Empreinte d'un mouflon d'Amérique*

## Un animal au pied agile

Le mouflon d'Amérique a le pied aussi sûr et agile qu'un acrobate. Téméraire, il grimpe et dévale les pentes escarpées des montagnes et va se percher sur les corniches les plus étroites.

Comment le mouflon s'y prend-il? Son secret, c'est la forme de son pied. Le bord extérieur dur et tranchant de chaque sabot s'agrippe à la terre, aux cailloux et à la glace. Le centre, qui est un coussinet spongieux, assure une excellente traction. Et parce qu'ils sont bifides (en deux parties), les sabots de l'animal se referment sur le rocher, un peu comme des pinces à linge. La partie supérieure du pied est munie de deux griffes plus petites qui servent de freins.

Le mouflon d'Amérique est extraordinairement doué pour le saut. Il peut sauter jusqu'à 2 mètres dans les airs. Ceci lui est fort utile pour franchir de larges crevasses. Et si un escarpement rocheux commence à s'ébouler sous son poids, le mouflon peut se retourner dans les airs et atterrir sur ses pieds, comme un chat.

Page ci-contre: *Pour escalader des escarpements aussi abrupts, il faut vraiment avoir le pied agile.*

## Des cornes imposantes

Bien peu d'animaux ont des cornes aussi impressionnantes que le mouflon d'Amérique. Celles du mâle s'enroulent en volutes, lesquelles forment souvent un cercle complet de chaque côté de la tête. Ces cornes massives pèsent jusqu'à 14 kilogrammes et atteignent jusqu'à 115 centimètres de longueur.

Bien que magnifiques à voir, ces immenses cornes peuvent causer des problèmes. Elles sont non seulement lourdes à porter, mais elles empêchent aussi parfois le mouflon de bien voir autour de lui. Les béliers se frottent donc souvent les cornes aux rochers pour les émousser.

Chez beaucoup d'animaux à cornes, seul le mâle est cornu. Mais pas chez les mouflons d'Amérique. Les femelles ont elles aussi des cornes, qui sont souvent beaucoup plus petites que celles des béliers. Au lieu de former un cercle, leurs cornes ne s'enroulent que légèrement sur elles-mêmes.

Un mouflon d'Amérique ne perd jamais ses cornes, sauf par accident; chaque année, elles poussent davantage.

Page ci-contre:
*Des cornes impressionnantes!*

## Reniflements et bêlements

Si vous pouviez entendre des mouflons d'Amérique « converser », vous vous croiriez dans une étable. Ils émettent en effet des sons qui ressemblent exactement à ceux de leurs cousins, les moutons domestiques.

Pour appeler son agneau en cas de danger, la brebis fait un « bê » grave et traînant. Pour faire savoir à leur mère qu'ils ont faim ou qu'ils sont fatigués, les agneaux bêlent. Mais les mâles adultes parlent rarement. Ils se contentent de renifler, le plus souvent pour faire savoir à un autre mâle qu'ils veulent se battre.

*Comme beaucoup de jeunes animaux, les petits mouflons d'Amérique sont curieux et brûlent d'envie d'explorer les alentours.*

## Le chef du troupeau

Les mouflons d'Amérique vivent en troupeaux de 10 à 100 bêtes. En été, les mâles vivent en célibataires, en groupes d'une dizaine de béliers. Chacun de ces groupes a un chef, qui est souvent le mouflon dont les cornes sont les plus massives. S'il en est ainsi, c'est parce qu'un animal qui a de grandes cornes est généralement puissant et vigoureux. C'est donc lui le chef, tout naturellement.

Pendant ce temps, les femelles et les jeunes forment leurs propres troupeaux. Loin des mâles, ils vont paître à loisir dans les prés. Une brebis d'âge mûr, qui a de l'expérience, prend la tête du troupeau et monte la garde tandis que les autres broutent autour d'elle. Aux premiers signes de danger, elle sonne l'alarme en frappant le sol de son sabot. Puis, rapide comme une flèche, elle va se réfugier sur une hauteur.

Quand vient l'hiver, les béliers, les brebis et les jeunes bêtes se réunissent en grands troupeaux.

Page ci-contre:
*Le club des célibataires.*

## La descente vers la vallée

L'hiver est rude en montagne. Pour se préparer à résister au mauvais temps, le mouflon d'Amérique mange autant qu'il le peut, emmagasinant ainsi une bonne réserve de graisse.

Après la première grosse chute de neige, le troupeau quitte les sommets et commence son périple vers les vallées plus abritées. Année après année , les mouflons suivent les mêmes sentiers. Ils parcourent jusqu'à une quarantaine de kilomètres, et parfois plus.

Ils avancent à la queue-leu-leu, en suivant leur chef. Si l'un des membres du troupeau essaie de prendre la tête de la file, le chef le remet en place d'un coup de corne. Bien qu'un mouflon d'Amérique puisse courir jusqu'à plus de 50 kilomètres à l'heure, le troupeau va rarement plus vite qu'au trot. Les mouflons sont d'excellents nageurs et, souvent, ils traversent des rivières et des lacs. De temps à autre, ils s'arrêtent pour se reposer.

*En attendant que passe la tempête.*

## Un rude hiver

Pour passer l'hiver, le troupeau choisit un versant exposé au sud, où la neige est généralement assez bien dégagée par le soleil et le vent. Les mouflons ont souvent du mal à trouver suffisamment à manger en hiver. Si la neige devient trop épaisse pour qu'ils puissent la fouiller de leurs sabots, beaucoup connaissent la faim. Quand il y a une violente tempête, ils se serrent souvent les uns contre les autres, le long d'une paroi rocheuse, ou trouvent refuge dans une caverne. Comme beaucoup d'entre nous, les mouflons d'Amérique attendent avec impatience le retour du printemps.

*Si les chutes de neige sont abondantes, les mouflons d'Amérique peuvent avoir du mal à trouver de la nourriture.*

## Le défi

En novembre et en décembre, alors que les mouflons d'Amérique sont dans les vallées, des luttes surviennent fréquemment entre les mâles d'un même troupeau. C'est la saison des amours. Et si deux mâles choisissent la même femelle, ils se battent pour elle. Leurs cornes puissantes sont leur arme principale.

Tout d'abord, les deux adversaires se mesurent du regard. L'un et l'autre baissent la tête, pour montrer leurs énormes cornes. Puis, grognant et soufflant de colère, ils commencent à se pousser. Parfois, l'un d'eux donne un coup de pied à l'autre. Si aucun ne veut céder, ils se préparent à un vrai combat cornes à cornes.

*On se presse, on se bouscule... et voilà généralement comment la bagarre commence.*

## Cornes à cornes

Les deux mouflons tournent en rond, à une distance d'environ 10 mètres l'un de l'autre. Comme à un signal, ils se dressent brusquement sur leurs pattes arrière. Puis ils se ruent en avant, tête baissée. Quand les deux têtes se frappent, tout le corps des mouflons tremble sous le choc et le bruit de la collision s'entend de très loin.

Légèrement étourdis, les deux adversaires secouent la tête. Dès qu'ils sont remis du coup, ils reculent pour charger à nouveau. Ils attaquent ainsi à plusieurs reprises, jusqu'à ce que l'un d'eux en ait assez. Le duel se poursuit pendant des heures et il arrive même qu'un combattant soit assommé! Chose incroyable, les mouflons se font rarement beaucoup de mal. Leur crâne et les muscles puissants de leur cou absorbent en grande partie les chocs. Mais quels maux de tête ils doivent avoir après le combat!

*Un combat cornes à cornes peut survenir à n'importe quel moment de l'année car les mouflons d'Amérique aiment mesurer leurs forces.*

## Une nouvelle toison

Ce qu'il y a de bien, au printemps, c'est qu'on se défait de ses lourds vêtements d'hiver. Les mouflons d'Amérique font de même. Dès que le temps se réchauffe en montagne, les mouflons perdent leur lourde toison d'hiver. Leur manteau s'éclaircit et se fait moins épais. Ils n'ont pas belle allure du tout, avec leurs plaques de vieux poils emmêlés qui restent accrochés ici et là à leur corps. Pour s'en débarrasser, les mouflons se frottent contre les rochers et les arbres.

La légère toison de printemps du mouflon d'Amérique commencera de nouveau à s'épaissir à l'automne, juste à temps pour l'hiver.

## Une naissance en montagne

Les agneaux naissent alors que les mouflons d'Amérique sont encore dans la vallée. La future mère quitte le troupeau, à la recherche d'un escarpement rocheux ou d'une haute corniche. Généralement, une brebis a un seul agneau; toutefois, il arrive qu'elle ait des jumeaux.

Dès que la brebis a mis bas, elle lèche le manteau de laine brun clair de son petit pour le sécher. Puis la mère et son petit se frottent pour apprendre à reconnaître leur odeur.

Tout tremblant, l'agneau essaie de se lever sur ses pattes chancelantes. Le nouveau-né, qui ne fait que 40 centimètres de haut, a déjà deux minuscules boutons sur la tête, là où pousseront ses cornes.

Dès qu'il se tient sur ses jambes, l'agneau se blottit sous le ventre de sa mère et commence à téter.

*La mère mouflon ne s'occupe que de son petit; elle ignore complètement les autres nouveau-nés.*

## Une longue marche

Les nouveau-nés sont chaleureusement accueillis lorsqu'ils rejoignent le reste du troupeau. Les jeunes bêtes d'une année et les femelles sans agneau se pressent autour du nouveau membre du groupe. Parfois, la mère et son petit doivent s'éloigner furtivement pour que l'agneau puisse téter en paix.

La plupart des petits garçons et des petites filles ne font leurs premiers pas qu'à un an environ. Mais chez les mouflons d'Amérique, les nouveau-nés apprennent à marcher quelques heures après leur naissance. Ils sautent et gambadent au bout de quelques jours.

Il est important que le petit mouflon grandisse vite car il n'aura que quelques semaines quand il partira avec le reste du troupeau vers les pâturages d'été,en haute montagne.

L'escalade sera longue et rude pour l'agneau. Tout au long du voyage, il restera près de sa mère, pour qu'elle le nourrisse et le protège.

*Même l'agneau le plus folâtre a besoin de se reposer de temps en temps.*

## Au sein du troupeau

L'été est une saison splendide pour un petit mouflon d'Amérique. La verdure abonde dans les prés. Petit à petit, l'agneau est sevré et commence à manger de l'herbe, comme sa mère. Il devient fort, vigoureux et fringant. Bientôt, le voilà qui court et joue avec les autres agneaux de son âge. Souvent, tandis que les petits s'amusent, leur mère les surveille tour à tour.

À la fin du premier été, les agneaux pèsent environ 35 kilogrammes. Quand arrive le temps de descendre dans la vallée, les jeunes sont prêts pour le voyage. Ils n'ont plus besoin de rester auprès de leur mère: ils font maintenant partie du troupeau et, bientôt, ils fonderont à leur tour une famille.

# Glossaire

**Agneau** Petit du mouflon d'Amérique.

**Bélier** Mouflon mâle.

**Bol alimentaire** Masse d'aliments rapidement avalés que des ruminants comme le cerf, le mouton et la vache font remonter de leur estomac pour les mâcher.

**Brebis** Femelle du mouflon.

**Carex** Plante à feuilles coupantes, à fleurs en épis et à fruits en capsules qui poussent souvent au bord de l'eau.

**Cornes** Excroissances sur la tête de certains animaux comme les moutons et les vaches. Contrairement aux bois, qui poussent sur la tête du cerf par exemple, les cornes ne tombent pas chaque année.

**Crevasse** Cassure dans le roc ou dans la glace.

**Garrot** Chez les quadrupèdes, partie du corps située au-dessus de l'épaule.

**Poils protecteurs** Grands poils rudes qui forment l'épaisseur extérieure de la toison d'un mouflon d'Amérique.

**Sabot** Extrémité du pied du mouton, du cerf et d'autres animaux. Des sabots bifides sont des sabots fendus en deux.

**Saison des amours** Époque de l'année où les animaux s'accouplent pour avoir des petits.

**Téter** Boire le lait de sa mère.

**Troupeau** Groupe d'animaux.

# INDEX



**Couverture:** Wayne Lankinen (Valan Photos)

**Crédit des photographies:** Stephen J. Krasemann (Valan Photos), page 4; Wayne Lankinen (Valan Photos), 7; Brian Milne (First Light Associated Photographers), 8, 11, 12, 19, 35, 39, 43, 44; Thomas Kitchin (Valan Photos), 15, 20; J.D. Markou (Valan Photos), 16; Esther Schmidt (Valan Photos), 23, 32; Hälle Flygare (Valan Photos), 24; Tim Fitzharris (First Light Associated Photographers), 26, 40; K. Sommerer (Miller Services), 28; Dennis Schmidt (Valan Photos), 31; T. Ulrich (Miller Services), 36-37.

Imprimé en Espagne

JE DÉCOUVRE . . .

LE MONDE MERVEILLEUX DES ANIMAUX

# LE CHIEN DE PRAIRIE

Celia B. Lottridge
and
Susan Horner

Grolier Limitée
MONTRÉAL

| | | |
|---|---|---|
| CHEF DE LA PUBLICATION | | Joseph R. DeVarennes |
| DIRECTEUR DE LA PUBLICATION | | Kenneth H. Pearson |
| CONSEILLERS | Roger Aubin<br>Gilles Bertrand | Jean-Pierre Durocher<br>Gaston Lavoie |
| RÉDACTRICES EN CHEF | | Anne Minguet-Patocka<br>Valerie Wyatt |
| CONSEILLERS POUR LA SÉRIE | | Michael Singleton<br>Merebeth Switzer |
| RÉDACTION | Sophie Arthaud<br>Charles Asselin<br>Marie-Renée Cornu<br>Michel Edery | Catherine Gautry<br>Ysolde Nott<br>Geoffroy Menet<br>Mo Meziti |
| SERVICE ADMINISTRATIF | Kathy Kishimoto<br>Monique Lemonnier | Alia Smyth<br>William Waddell |
| COORDINATRICE DU SERVICE DE RÉDACTION | | Jocelyn Smyth |
| CHEF DE LA PRODUCTION | | Ernest Homewood |
| RECHERCHE PHOTOGRAPHIQUE | | Don Markle<br>Bill Ivy |
| ARTISTES | Marianne Collins<br>Pat Ivy | Greg Ruhl<br>Mary Théberge |

Ouvrage pour la jeunesse recommandé par le
Cercle des Jeunes Naturalistes du Québec.

**Données de catalogage avant publication (Canada)**

Lottridge, Celia.
Le chien de prairie / Celia Lottridge, Susan Horner. Le mouflon d'Amérique / Bill Ivy.—

(Je découvre—le monde merveilleux des animaux)
Traduction de: Prairie dogs. Bighorn sheep. Comprend des index.
ISBN 0-7172-1973-9 (chien de prairie). — ISBN 0-7172-1974-7 (mouflon d'Amérique).

1. Chiens de prairie—Ouvrages pour la jeunesse. 2. Mouflon d'Amérique—Ouvrages pour la jeunesse. I. Horner, Susan. II. Ivy, Bill, 1953- Le mouflon d'Amérique. III. Titre. IV. Titre: Le mouflon d'Amérique. V. Collection.

QL737.R68L6814 1986 j599.32'32 C85-099938-3



Dépôt légal, 1er trimestre 1986
Bibliothèque nationale du Québec

## Savez-vous . . .

## Le chien de prairie

Certains animaux sauvages vivent seuls, d'autres vivent avec une compagne et d'autres encore vivent en famille. Mais il est un animal qui vit en communauté de plusieurs centaines d'individus, dans une ville souterraine. Cet animal, c'est le chien de prairie.

Imaginez que vous visitez une ville de chiens de prairie, très tôt, par un beau matin d'été. Vous verrez d'abord une grande étendue plate et herbeuse, parsemée de petits monticules de terre. Si vous regardez de plus près l'un de ces monticules, vous y remarquerez un trou. C'est l'entrée qui mène au logis d'un chien de prairie.

Si vous surveillez attentivement cette entrée, vous verrez peut-être surgir une petite tête brune. Mais surtout pas un geste car la petite tête du chien de prairie disparaîtra rapidement dans son trou. Si vous attendez tranquillement, l'animal risque de réapparaître et même de sortir faire un tour.

## Un lever matinal

Si le chien de prairie sort de son terrier, vous constaterez qu'il ressemble à un jeune chiot dodu. Sans la queue, longue d'une dizaine de centimètres, il mesure environ 36 centimètres. Son corps est couvert d'un pelage dru de couleur chamois et brun, soit à peu près le même ton que la terre sèche autour du terrier.

Si le chien de prairie ne remarque rien d'anormal aux alentours, il renverse la tête en arrière et lance quelques aboiements courts et aigus pour signaler que tout va bien. Chaque aboiement s'accompagne d'un battement de queue.

Quelques instants plus tard, d'autres chiens de prairie sortent de leur logis. Ils se disent bonjour en s'embrassant et en se frottant le nez. Une fois leurs salutations matinales terminées, ils se mettent à vaquer à leurs occupations. Ils mangent gloutonnement, prennent des bains de soleil et de poussière, font leur toilette, se rendent visite entre voisins.

Un nouveau jour commence dans la ville des chiens de prairie.

*«Tout va bien!»*

## Les chiens de prairie sont-ils réellement des chiens?

Il y a cinq espèces de chiens de prairie en Amérique du Nord. Les deux plus communes sont le chien de prairie à queue noire et le chien de prairie à queue blanche.

Le chien de prairie à queue noire vit surtout dans les grandes plaines qui s'étendent du sud de la Saskatchewan jusqu'en Oklahoma et au Texas. Le chien de prairie à queue blanche vit plus à l'ouest, dans les contreforts dénudés du Colorado, de l'Utah et du Nouveau-Mexique.

Comme le cri d'alarme de ces animaux ressemble au jappement d'un petit chien, les premiers colons les baptisèrent chiens de prairie. Mais ce ne sont pas vraiment des chiens. Ce sont des rongeurs, apparentés à la souris, au tamia et au suisse, au castor et surtout au spermophile. Comme tous les rongeurs, ils sont munis de dents tranchantes grâce auxquelles ils coupent tiges et racines.

*Vus de face, on a peine à savoir à quel chien de prairie on a affaire. Mais de dos, la queue révèle l'identité de l'animal.*

## Le logis des chiens de prairie

Le trou que l'on voit au sommet d'un de ces monticules de terre est l'entrée d'un terrier de chiens de prairie. Il y a tout d'abord un long tunnel de 3 à 4 mètres qui descend tout droit. Puis ce tunnel devient horizontal et s'enfonce dans la terre sur une longueur équivalant à peu près à celle d'un jardin. A mi-chemin de la descente, dans le tunnel d'entrée, se trouve un renfoncement où le chien de prairie peut faire demi-tour ou se cacher en cas de danger.

Des petits tunnels latéraux mènent aux dortoirs, aux toilettes et à une grande salle qui sert de pouponnière. Souvent, le tunnel principal continue après les chambres, pour relier ensemble plusieurs terriers. Les chiens de prairie peuvent ainsi se rendre visite sans mettre le nez dehors!

Parce qu'il est profond, le terrier est chaud en hiver et frais en été. Et comme le tunnel d'entrée descend à pic puis remonte en faisant un coude, le terrier reste bien au sec: l'eau ne peut pas couler dans les autres tunnels.

*Coupe d'un terrier de chiens de prairie.*

## Des montagnes miniatures

Quand les chiens de prairie creusent leur terrier, ils poussent la terre hors du tunnel avec leur front, formant ainsi un tas de terre à l'entrée. Puis ils grattent la terre aux alentours et la jette au sommet de ce monticule pour le surélever. Enfin, ils tassent la terre à l'aide de leur front et de leur nez pour obtenir un talus rond et bien ferme. Si vous regardez de près la surface d'un monticule, vous y verrez les empreintes du nez du propriétaire.

Les chiens de prairie passent beaucoup de temps sur leur monticule. Là, ils se prélassent au soleil et se font la causette. Les jeunes chiens de prairie s'amusent à grimper et à dévaler ces montagnes miniatures.

Les monticules sont très importants dans la vie des chiens de prairie. Comme ils sont plus élevés que les étendues plates aux alentours, ils font d'excellents postes d'observation. Perché sur son promontoire, se dressant tout droit sur ses pattes arrière, le chien de prairie surveille les environs. Le monticule sert aussi de digue, empêchant l'eau de pluie de ruisseler dans l'entrée du terrier.

Page ci-contre:
*Ce chien de prairie construit avec une belle ardeur son monticule.*

## Une collectivité unie

Les chiens de prairie vivent en groupes appelés coteries. Parfois, au départ, une coterie ne comprend qu'un mâle et une femelle. Mais bientôt, d'autres adultes viennent se joindre à eux. Puis arrivent des jeunes et des bébés. Certaines coteries regroupent jusqu'à 35 individus, mais la plupart en comptent moins de douze.

Une coterie construit autant de terriers et de monticules qu'il lui en faut pour loger tous ses membres. Creuser les tunnels et les entretenir est un dur travail, et tous les membres de la coterie y participent. Ils se servent de leurs longues griffes avant et de leurs pattes courtes et puissantes pour creuser le sol; de leurs dents tranchantes, ils coupent les racines.

*Chez soi.*

## Le chef de la coterie

Les monticules et les terriers où vit une coterie, et une partie des terres environnantes, forment son territoire. Les visiteurs n'y sont pas les bienvenus.

Chaque coterie est présidée par le mâle le plus puissant. C'est lui qui sort le premier du terrier le matin, et lui qui y rentre le dernier le soir. Il connaît exactement la superficie du territoire de sa coterie. S'il découvre un membre d'une autre coterie sur son domaine, il passe à l'action. Il chasse l'intrus à grands cris et parfois il lui mordille l'arrière-train. Ouille! Ça fait mal!

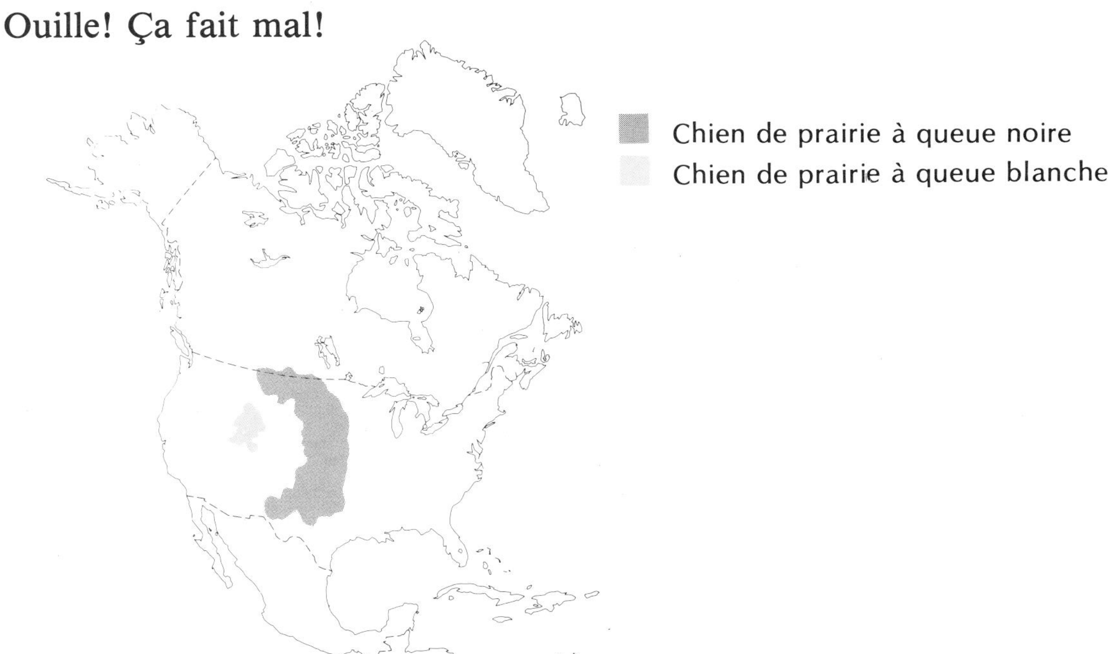

## Une ville de chiens de prairie

Ensemble, les territoires de plusieurs coteries forment une ville. Comme les villes où nous habitons, celles des chiens de prairie sont parfois grandes et parfois petites. Il y a bien longtemps, il existait au Texas une immense ville de chiens de prairie qui comptait 400 millions d'individus!

Cependant, la plupart des villes de chiens de prairie sont beaucoup plus petites que cela. D'habitude, elles couvrent environ 80 hectares et abritent à peu près 140 coteries, soit plus de mille chiens de prairie.

Et comme les villes où nous habitons, celles des chiens de prairie sont divisées en secteurs plus petits, appelés quartiers, qui sont séparés les uns des autres par des collines, des rideaux d'arbres ou des plantes d'espèces différentes.

*Village de chiens de prairie.*

## Chiens de garde

Chacun à leur tour, les chiens de prairie adultes montent la garde. Tandis que les autres chiens de prairie se dorent au soleil, mangent ou s'amusent, la sentinelle veille du haut de son monticule, bien calée sur son arrière-train.

Si la sentinelle voit l'ombre d'un busard, entend l'aboiement d'un coyote ou perçoit un mouvement inhabituel, elle «sonne» l'alarme. Elle se dresse sur la pointe des pieds, bat rapidement de la queue et jappe à grands bruits. Comme l'éclair, tous les chiens de prairie sautent dans leur terrier pour s'y mettre en sécurité.

Pendant quelques instants, aucun d'eux ne bouge. Puis la sentinelle montre précautionneusement la tête. Si le danger est écarté, elle lance son signal «tout va bien». Aussi rapidement qu'ils s'étaient précipités dans leur terrier, les chiens de prairie en ressortent pour reprendre leurs activités.

*Au premier signe de danger, cette sentinelle aux aguets «sonnera» l'alarme.*

## Qui va là?

Pour se reconnaître entre membres d'une même coterie, les chiens de prairie se touchent et se reniflent. Ils se connaissent bien, car ils passent beaucoup de temps à se caresser et à faire mutuellement leur toilette avec leurs pattes. Souvent, tandis qu'ils prennent un bain de soleil, ils se font réciproquement une beauté. Ils aiment aussi se frotter le cou et s'embrasser pendant qu'ils construisent leur monticule ou qu'ils cherchent de quoi se nourrir.

Comme chacun connaît bien l'odeur et le toucher des autres, ils peuvent facilement reconnaître un ami d'un étranger. C'est pourquoi ils s'embrassent quand ils se rencontrent. En se donnant l'accolade, ils peuvent se renifler tout à loisir.

*Une mère et son petit s'embrassent pour se dire bonjour.*

## Le repas

Les chiens de prairie n'ont pas besoin d'aller bien loin pour trouver de quoi manger. Ils se nourrissent de la verdure qui pousse autour de leurs monticules. Ils choisissent leurs plantes favorites à leur odeur et les coupent proprement de leurs dents tranchantes. Puis ils s'asseyent sur leur arrière-train, tenant dans leurs pattes la tige ou la feuille coupée et la rongent. Le régime alimentaire des chiens de prairie a d'heureuses répercussions: avec tous ces rongeurs, l'herbe autour des monticules est parfaitement coupée, ce qui donne à la coterie une vue dégagée de son territoire.

Les plantes apportent aussi aux chiens de prairie l'eau dont ils ont besoin. Les tiges des chardons épineux sont particulièrement juteuses. Les chiens de prairie prennent soin de couper la tige aussi près que possible du sol pour ne pas se piquer.

En été, les chiens de prairie passent plus de la moitié de leur journée à manger. Ils doivent alors accumuler des réserves de graisse pendant que la végétation est verte et abondante, car la nourriture se fait rare en hiver.

Page ci-contre:
*Comme les écureuils, auxquels ils sont apparentés, les chiens de prairie tiennent leur nourriture dans leurs pattes antérieures.*

## Des amateurs de soleil

Les chiens de prairie aiment les jours chauds et ensoleillés. Quand il fait beau, ils passent leur temps à se promener sur leur territoire, à manger, à entretenir leur monticule, à se renifler et à s'embrasser, à faire ensemble leur toilette et à surveiller les environs.

Si la journée devient trop chaude, ils se réfugient quelque temps dans leur terrier. La pluie les y fait rentrer aussi. Mais ils aiment sortir après l'ondée car les plantes sont humides et délicieuses à manger.

Le vent rend les chiens de prairie nerveux, probablement parce que son bruissement couvre les bruits qui pourraient les avertir d'un danger imminent. Les jours de vent, les chiens de prairie sont particulièrement sur leurs gardes et se précipitent dans leur terrier au moindre mouvement inhabituel.

*Il faut faire des réserves pour l'hiver!*

## Une retraite confortable

À mesure que l'hiver approche, la préoccupation principale des chiens de prairie devient d'engraisser. Quand le froid arrive, ils ralentissent leurs activités et passent la plus grande partie de leur temps bien au chaud dans leur terrier. Mais contrairement à certains écureuils, ils n'hibernent pas et ne se plongent pas dans un profond sommeil. Si une journée est belle, en hiver, les chiens de prairie font un rapide petit tour dehors et dévorent ce qu'ils peuvent trouver. Toutefois, dès que le vent d'hiver se lève, ils regagnent vite leur terrier souterrain.

*Les chiens de prairie tapissent leurs chambres de brindilles et de feuilles mortes.*

## La saison des amours

Au début du printemps, la vie reprend son cours. La nourriture est encore difficile à trouver, mais les chiens de prairie sortent de leur terrier pour se mettre au soleil et se rencontrer entre amis. Bientôt, toutes les coteries de la ville sont dehors. Les monticules fourmillent d'activités et partout on entend les jacassements et les aboiements de la conversation.

En mars et avril, c'est la saison des amours. Alors, les mâles et les femelles nettoient les vieux terriers et creusent de nouveaux tunnels. Dans la plus grande salle du terrier, les femelles adultes rassemblent des herbes séchées pour faire des nids doux et confortables où naîtront bientôt les petits.

*Bien que très curieux, les jeunes chiens de prairie restent tout près du logis.*

## Les petits

Les petits naissent à la fin mai. D'habitude, chaque portée compte de quatre à cinq petits. Les jeunes chiots sont tout rouges, tout frippés, sans poils et aveugles; du museau à la queue, ils mesurent environ 8 centimètres.

La mère prend grand soin de ses petits. Pendant les premières semaines, elle ne laisse personne s'en approcher. Elle les lèche et les frotte très souvent pour les habituer à la vie en collectivité, où l'on s'embrasse et où l'on fait mutuellement sa toilette.

Nourris du bon lait de leur mère, les petits grandissent vite. Trois semaines après leur naissance, ils sont couverts de fourrure. Ils peuvent déjà pousser des cris perçants et se rouler par terre.

À cinq semaines environ, ils ouvrent les yeux. Ils commencent à beaucoup ressembler à leurs parents. Bientôt, les voilà qui courent partout dans le terrier, en essayant d'aboyer. Le jour ne tardera plus où ils sortiront du tunnel, dévaleront la pente du monticule et découvriront le vaste monde.

*«Faites passer!»*

## Les soins aux tout-petits

Une fois que les petits sont sortis de leur terrier, tous les chiens de prairie adultes de la ville s'en occupent et contribuent à leur éducation. Les petits vont d'un terrier à un autre pour jouer avec des petits compagnons d'autres portées. Parfois, ils dorment chez leurs amis.

Les mâles et les femelles adultes passent beaucoup de temps à faire la toilette des petits, à les embrasser, à courir et à gambader avec eux. Les petits aiment tant jouer que parfois ils deviennent gênants. Quand un adulte mange ou monte la garde, il repousse d'un mordillement ou d'un léger coup de patte les petits qui se font trop insistants.

Très vite, les petits apprennent à sauter rapidement dans leur terrier dès que quelque chose d'étrange se passe. Cent fois par jour, comme des diables à ressort, on les voit apparaître et disparaître à l'entrée du tunnel.

Mais leur enfance est de courte durée. À sept semaines, ils sont capables de trouver eux-mêmes leur nourrriture. À dix semaines, ils ne dépendent plus de personne.

Page ci-contre:
*Le pelage chamois et brun du chien de prairie se confond avec la terre du monticule.*

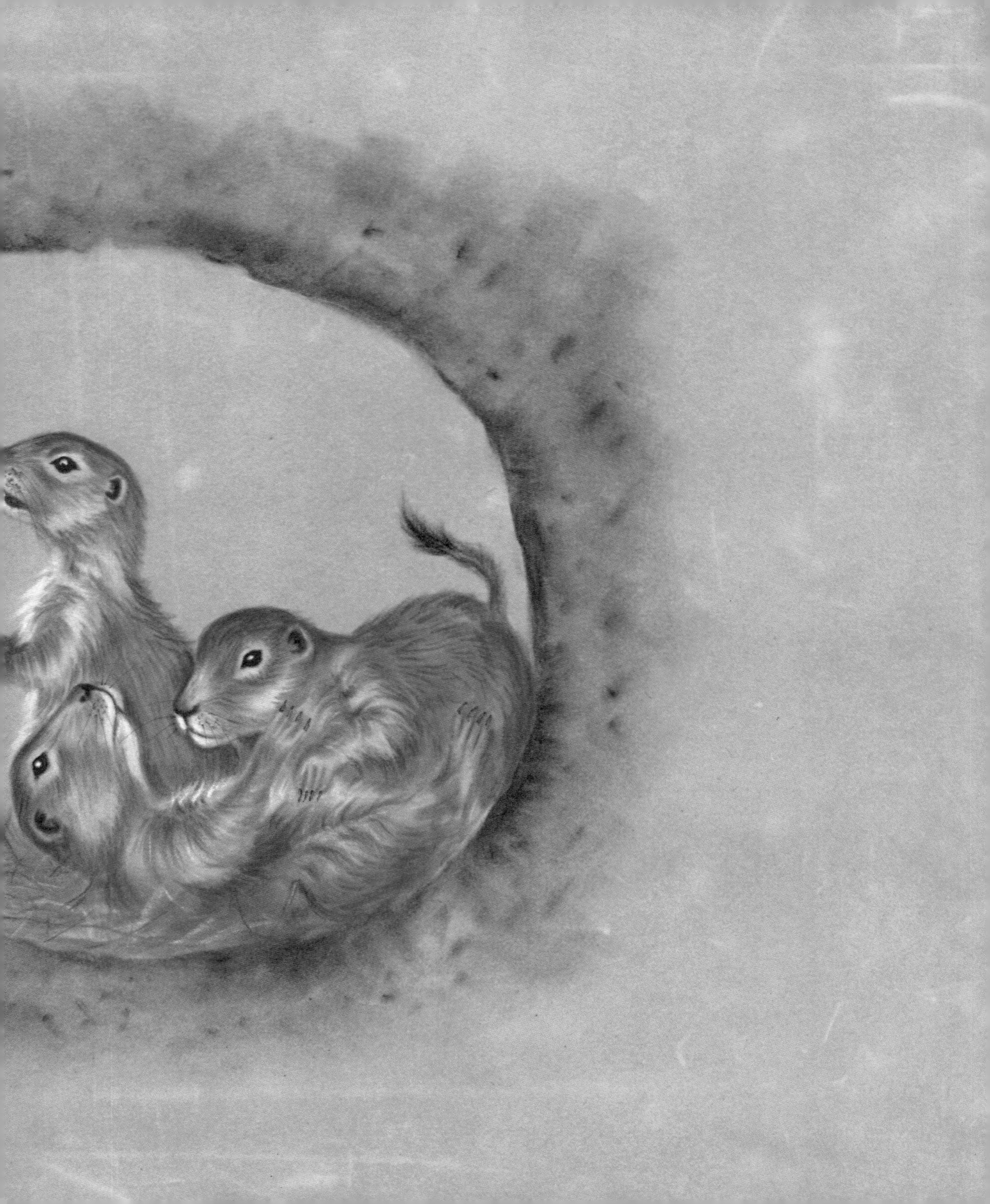

## L'éducation des jeunes

Vers la fin de l'été, les petits nés au printemps sont presque aussi gros que leurs parents. En jouant, ils ont appris à se reconnaître, à faire mutuellement leur toilette et à se «parler».

Maintenant, ils commencent à découvrir ce qu'est un territoire. Ils ne sont plus les bienvenus sur les terres des coteries voisines. S'ils s'aventurent au-delà des frontières de leur propre domaine, ils sont désormais repoussés.

Les jeunes aiment beaucoup imiter les adultes: ils apprennent ainsi à trouver leur nourriture, à réagir aux signaux d'alarme et à lancer des cris d'appel.

L'un des signaux préférés des jeunes chiens de prairie est le cri du territoire, qui signifie apparemment: «C'est moi, et c'est mon territoire.» Pour jeter ce cri, le chien de prairie se dresse sur ses pattes postérieures, tend ses pattes antérieures devant lui, lève le nez au ciel et lance un aboiement retentissant composé de deux notes. Les jeunes s'entraînent inlassablement à pousser ce cri.

## La famille s'agrandit

À la fin de l'été, comme les adultes, les jeunes chiens de prairie passent la plupart de leur temps à manger pour faire des réserves avant la venue du froid. Ils passeront l'hiver dans leur terrier natal. Au printemps, ils auront tout juste un an. Ils seront alors en âge de s'occuper des nouveau-nés de la coterie. À deux ans, ils seront prêts à s'accoupler et à avoir des petits.

## Le départ

Une coterie ne peut pas s'étendre indéfiniment, car il n'y aurait pas assez de nourriture sur son territoire pour tous ses membres. Aussi, chaque année, une partie des chiens de prairie doit quitter la coterie.

Parfois, les jeunes mâles d'un an partent fonder leur propre coterie. Parfois, un mâle et une femelle adultes décident d'aller construire ailleurs de nouveaux terriers et monticules, laissant les lieux aux plus jeunes. Parfois encore, plusieurs femelles vont se joindre à d'autres coteries.

Chaque nouvelle ville construite aura ses coteries, ses monticules et ses terriers. Là, les chiens de prairie monteront la garde, travailleront et joueront ensemble.

*Les chiens de prairie ne s'éloignent pas plus loin de leur repaire qu'il ne le faut pour trouver de la nourriture.*

# Glossaire

**Chiot** Jeune chien de prairie.

**Coterie** Groupe de chiens de prairie composé de 8 à 35 membres.

**Hiberner** Passer l'hiver dans un état d'engourdissement profond.

**Portée** Frères et sœurs, nés ensemble.

**Prairie** Vaste étendue plate et herbeuse, sans arbres.

**Quartier** Sous-division d'une ville de chiens de prairie.

**Rongeur** Animal muni de dents tranchantes faites pour ronger.

**Saison des amours** Saison de l'année où les animaux s'accouplent pour se reproduire.

**Sentinelle** Individu qui fait le guet et qui lance l'alarme en cas de danger.

**Terrier** Trou creusé dans la terre par un animal pour s'y faire un logis.

**Territoire** Étendue où vit un animal ou un groupe d'animaux, et que cet animal ou ce groupe défend souvent des autres animaux de la même espèce.

*L'origine du nom du chien de prairie ne fait aucun mystère - son cri ressemble à l'aboiement d'un chien.*

# INDEX



**Couverture:** Barry Ranford

**Crédit des photographies:** Dennis Schmidt (Valan Photos), pages 4, 26; Brian Milne (First Light Associated Photographers), 7, 12; Stephen J. Krasemann (Valan Photos), 8, 25, 33, 34, 37, 43; Esther Schmidt (Valan Photos), 15, 21, 40; Robert C. Simpson (Valan Photos), 16; Wayne Lankinen (Valan Photos), 18-19, 29, 30, 46; Wilf Schurig (Valan Photos), 22; Thomas Kitchin (Valan Photos), 44.

Imprimé en Espagne